S de safari

(El safari de Dani)

Francesc Lucio González

Editorial **Edi** **numen**

© Editorial Edinumen
© Pedro Tena Tena
© Francesc Lucio González

ISBN: 978-84-95986-97-9
Depósito Legal: M-660-2010
Impreso en España
Printed in Spain

Coordinación colección:
Pedro Tena Tena

Ilustraciones:
Carlos Casado

Ilustración portada:
Raúl de Frutos

Diseño y maquetación:
Carlos Casado
Juanjo López

Impresión:
Gráficas Glodami. Coslada (Madrid)

Editorial Edinumen
José Celestino Mutis, 4. 28028 - Madrid
Teléfono: 91 308 51 42
Fax: 91 319 93 09
e-mail: edinumen@edinumen.es
www.edinumen.es

S de safari
(El safari de Dani)

Este libro es de...

Nombre...

Apellido(s) ....

Dirección..

....

País ....

Índice:

Actividades:
antes de la lectura

Vas a iniciar una increíble aventura en una reserva natural del sur de África, pero antes puedes divertirte con estas actividades. ¡A jugar!

1. En el continente africano viven muchos animales. Aquí tienes los dibujos de ocho de ellos. ¿Sabes cómo se llaman? Es muy fácil: debes unir con una línea cada dibujo con su nombre.

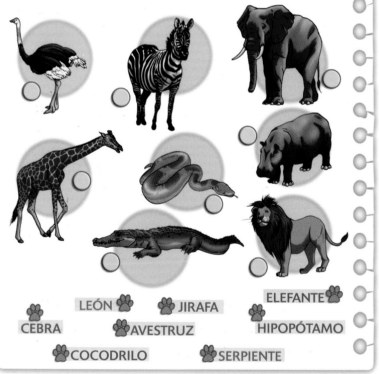

LEÓN · JIRAFA · ELEFANTE

CEBRA · AVESTRUZ · HIPOPÓTAMO

COCODRILO · SERPIENTE

2. En esta jungla de letras tienes los ocho nombres de los animales anteriores. ¿Dónde están?

ELEFANTE · JIRAFA · LEÓN
CEBRA · AVESTRUZ · HIPOPÓTAMO
COCODRILO · SERPIENTE

C	E	N	D	E	F	G	H	T	K	D	L	T	N	L
O	J	I	R	A	B	I	D	E	Y	E	Z	M	A	B
C	I	D	E	F	G	L	E	O	N	S	M	L	N	P
O	R	A	P	I	R	O	U	L	X	I	Y	M	Z	A
P	A	E	D	T	X	F	K	I	W	E	P	O	V	D
S	F	T	W	Q	X	Z	B	R	H	R	M	E	A	R
B	A	N	U	S	H	R	S	D	T	T	L	L	F	G
J	E	E	O	G	B	I	F	O	C	O	Q	E	S	X
H	I	I	V	U	V	W	A	C	F	A	M	F	P	O
R	S	P	L	A	H	I	P	O	P	O	T	A	M	O
Ñ	T	R	S	Q	O	U	T	C	U	W	O	N	E	S
A	V	E	S	T	R	U	Z	G	Y	P	E	T	O	L
K	J	S	X	N	T	E	L	O	A	R	B	E	C	Z

3. En el relato vas a leer algunas palabras que quizás son nuevas para ti. Relaciona las palabras con su significado.

SAFARI •	vehículo de cuatro ruedas para moverse en el campo o en la jungla.
MARFIL •	persona que trabaja en un avión. También se llama "auxiliar de vuelo".
AZAFATA •	palabra que en suahili (una lengua africana) significa "viaje".
TODOTERRENO •	espacio natural protegido donde los animales salvajes viven en libertad.
RESERVA •	material de color blanco que forma los colmillos (unos grandes dientes) de los elefantes.

4. Dani, el niño protagonista de esta historia, va a pasar dos semanas en Sudáfrica con su tío. Busca en un libro la siguiente información:

⇒ *¿En qué continente está Sudáfrica?*

⇒ *¿Con qué países tiene frontera?*

⇒ *¿Cuál es la capital del país?*

⇒ *¿Cuántos idiomas hay allí?*

Capítulo primero.
Vuelo 6051

Es una tarde de agosto. La terminal B del aeropuerto de Barcelona está llena de turistas. Los turistas que llegan de sus vacaciones están muy morenos y muy contentos. Los que se van están más blancos y esperan con paciencia delante de los mostradores. Allí un padre habla con su hijo.

– Tienes que ser bueno, Dani. Saluda al tío Javier de mi parte.

Dani sonríe. Hoy es un día muy especial. Es la primera vez que viaja en avión y está un poco nervioso. Este verano sus padres tienen que trabajar y no tienen vacaciones. Dani va a pasar dos semanas en Sudáfrica, en casa de su tío.

Al lado de Dani hay una señorita muy guapa. Es rubia y tiene el pelo largo y liso. Es bastante alta. Lleva un uniforme azul y negro muy elegante. La chaqueta es de color azul, la camisa es rosa y la falda negra. Los zapatos son también negros. Se llama Araceli, y es azafata.

– "Pasajeros del vuelo de Iberia 6051 con destino a Johannesburgo, pasen por la puerta 45" –informan por los altavoces.

– ¡Es nuestro avión! –dice Dani mirando a Araceli.

Dani se despide de su padre con un beso y coge la mano de la azafata. Mientras ellos caminan hacia la puerta, el papá de Dani levanta la mano y se despide de él. Muy pronto la mano desaparece entre los turistas del aeropuerto. Una gran aventura va a empezar.

Dos horas más tarde, Dani está sentado en el avión, al lado de una ventanilla. Desde su asiento sólo puede ver el cielo, que es de color azul brillante, y unas nubes blancas como algodón. Araceli está sirviendo té y café a los pasajeros. Dani coge una revista y empieza a mirar las fotos.

– ¡Arrrrrghh! ¡Qué asco!

once | 11

En la foto hay una serpiente gris enorme con una lengua muy negra. Araceli está en el pasillo con una jarra de café en la mano derecha y una jarra de té en la mano izquierda.

– Esa serpiente es una "mamba negra" –dice Araceli–. Su piel es siempre gris o marrón. Las mambas viven en los parques naturales del sur de África. Su veneno es tan fuerte que puede matar a una persona con dos gotas. Parece peligrosa –continúa Araceli–, pero, en realidad, sólo come pequeños animales y, normalmente, no ataca a las personas.

Dani piensa que es mejor no tener una mamba negra demasiado cerca y decide pasar la página rápido.

– ¿Quieres ir a ver la cabina del avión?
–pregunta Araceli.

– ¡Valeeeee! –contesta Dani, y se levanta rápidamente mientras ayuda a la azafata a llevar una de las jarras.

En la cabina del avión hay dos personas sentadas con un uniforme azul y una gorra. Cuando Araceli abre la puerta, las dos saludan a Dani.

– Mira, Dani, **éste es el capitán** Manuel Durán y ésta es la copiloto, Sonsoles Vázquez.

Mirando a los dos, Araceli continúa:

– Sonsoles, Manolo, os presento a Dani, nuestro pasajero más joven. Es su primer viaje en avión.

– ¡Vaya! ¡Felicidades, Dani! –dice el capitán Durán–. Dani, este viaje no está nada mal para ser la primera vez. Son doce horas de vuelo, ni más ni menos. **Tenemos que cruzar toda África hasta llegar a Johannesburgo.**

El capitán le enseña en una pantalla de la cabina un mapa con la ruta del viaje.

— Volamos por encima del desierto del Sáhara y después por la **selva tropical** y la **sabana** hasta llegar aquí —dice el capitán, señalando con el dedo una cruz en el mapa.

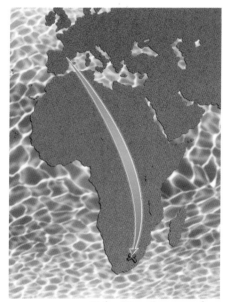

Dani mira la pantalla y piensa que su tío Javier vive demasiado lejos de Barcelona. Después levanta la vista y mira alrededor de la cabina. Pilotar el avión le parece muy difícil.

Dani piensa que, gracias a gente como **Sonsoles, Araceli y el capitán Durán**, muchas personas pueden viajar a países muy lejanos. ¡Qué trabajo tan bonito!

Cuando Dani vuelve a su asiento, en la pantalla de cine del avión proyectan un filme sobre monos. A Dani le gustan mucho los monos y mira la película con interés, pero ya es muy tarde y poco a poco cierra los ojos.

Capítulo segundo.
Llegada a Johannesburgo

Señoras y caballeros, por favor, vuelvan a sus asientos y abróchense los cinturones de seguridad. **Vamos a aterrizar en el aeropuerto de Johannesburgo** –la voz metálica de Araceli en el altavoz del avión despierta a Dani.

Son las nueve y media de la mañana y Dani mira con curiosidad por la ventanilla. Hace un sol maravilloso y no hay nubes en el cielo. A lo lejos Dani puede ver unas casas muy pequeñas con piscina y jardín, también ve casas todavía más pequeñas, sin ninguna mancha **azul** ni **verde** cerca. De repente, Dani ve en el horizonte la pista de aterrizaje del aeropuerto y se abrocha el cinturón de seguridad.

Unos minutos más tarde, el avión aterriza en la pista. Algunos pasajeros aplauden. Ahora es el capitán Durán quien habla por el altavoz en español y en inglés para dar la bienvenida a todos los viajeros.

Cuando el avión para completamente, los pasajeros se levantan y recogen sus cosas. Araceli va con Dani a la puerta del avión. Dani es el primero en salir.

– ¡Qué frío hace! –dice Dani, que lleva una camiseta de manga corta naranja.

– Es que aquí las mañanas de invierno son muy frías, pero después el sol calienta y puedes ir a la piscina.

– ¿Invierno? ¡Si es agosto! –exclama Dani.

Cuando mira al resto de pasajeros, descubre que muchos ahora llevan jerseys.

– Es que cuando en España es verano, en muchos otros países es invierno –dice Araceli, mientras ayuda a Dani a ponerse una chaqueta–. Por ejemplo, en Argentina, en Australia, … ¡Y en Sudáfrica!

– ¿Y cuando es invierno en España es verano aquí? –pregunta Dani.

– Exacto –contesta Araceli.

– ¡Pues vaya! ¡El mundo al revés! –dice Dani, que ahora ya no tiene frío.

– Todo depende del punto de vista. Para muchos sudafricanos es normal pasar las navidades en la playa o haciendo una barbacoa con los amigos –dice Araceli mientras Dani se imagina a Papá Noel en la playa, pasando calor, con su abrigo rojo y su gorro de lana.

– ¡Ahí está tu maleta! –dice Araceli–. Ahora tenemos que encontrar a tu tío.

Hace mucho tiempo que Dani no ve a su tío y tiene muchas ganas de estar con él. Él trabaja como veterinario en una reserva natural al norte del país. No vive en España desde hace mucho tiempo. A veces vuelve a casa en Navidad o en las vacaciones de verano y le regala camisetas con dibujos africanos. También le enseña fotos de los animales de la reserva.

Cuando se abren las puertas automáticas, Araceli y Dani buscan alguna cara conocida, pero en la terminal de llegadas internacionales hay muchísima gente. A la misma hora llegan vuelos de muchas ciudades diferentes: A, B, C, CH, D, E, F, G,… Gaborone, H, I, J, K,… Kampala, L,… Lilongwe, Lusaka, LL, M,… Maputo, Maseru, N, Ñ, O, P, Q, R, S, T, U, V, W, X, Y, Z. Todos los nombres son extraños para Dani. Mientras piensa dónde están esas ciudades, oye una voz que grita hacia él:

– ¡Pero…, bueno! ¡Estás enorme! –dice el tío Javier abrazándole.

Su tío saluda a Araceli y le da las gracias por cuidar de su sobrino tan bien. Dani da un beso a Araceli. Antes de irse, ella le dice, con una sonrisa, "¡Cuidado con las mambas!".

El tío de Dani lleva un jersey verde oscuro. Los pantalones son grises y las botas son de color marrón oscuro. A su lado hay un señor negro muy alto y fuerte. Él también lleva un jersey verde. Dani intenta leer la identificación que lleva el señor en el jersey.

- Éste es mi amigo Humbu. Trabaja conmigo en la reserva y habla español muy bien.

- Hola, Dani, ¿cómo éstas? –dice Humbu.

- ¡Muy bien! Tengo muchas ganas de ver los animales del parque –contesta Dani.

- ¡Pues venga! –dice su tío–, pero antes vamos a comer algo. Tenemos que hacer un viaje muy largo.

Actividades:
con la lectura (I)

En este momento Dani está en Johannesburgo para viajar a la reserva natural. Antes vamos a ver si recuerdas la historia.

1. ¿Puedes terminar estas frases?

Dani vive normalmente en Barcelona, pero este verano..

....

Su tío se llama....................................

Araceli es..

Su tío trabaja como............................

2. ¿Sabes elegir ahora la respuesta correcta?

Los padres de Dani este verano

☐ viajan a Sudáfrica con Dani.

☐ se van de vacaciones.

☐ tienen que trabajar.

El tío de Dani

- ☐ trabaja en el aeropuerto.
- ☐ trabaja en Johannesburgo.
- ☐ trabaja en una reserva natural.

Araceli es

- ☐ una azafata de Iberia.
- ☐ una tía de Dani.
- ☐ una turista en el avión.

Cuando en España es verano, en Sudáfrica es

- ☐ Navidad.
- ☐ verano.
- ☐ invierno.

A Dani no le gustan

- ☐ los viajes en avión.
- ☐ las serpientes.
- ☐ las vacaciones.

3.

Ahora que ya sabes dónde está Sudáfrica. ¿Puedes ayudar a Dani y decirle dónde está la ciudad de Johannesburgo?

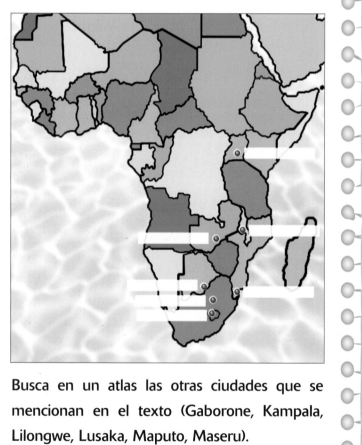

Busca en un atlas las otras ciudades que se mencionan en el texto (Gaborone, Kampala, Lilongwe, Lusaka, Maputo, Maseru).

Capítulo tercero.
El Parque Nacional de Kruger

La reserva natural donde trabaja el tío de Dani está en el Parque Nacional de Kruger, en el norte del país, cerca de la frontera con Mozambique, y a seis horas de coche del aeropuerto. La clínica veterinaria está en un campamento, cerca de un río que se llama Olifants.

En el campamento hay unas veinte casas. Algunas son para los empleados del parque, como Humbu y el tío de Dani. Otras están ocupadas por turistas que vienen a pasar el fin de semana o que vienen desde muy lejos, como Dani, para ver los animales del parque. En el campamento hay una pequeña tienda con postales, comida y un restaurante. Todo el lugar tiene una valla alrededor, que es una protección eléctrica.

– La valla no es para proteger a las personas de los animales, sino para proteger a los animales de las personas –bromea Humbu.

Cuando llegan al campamento, es ya de noche y Dani está muy cansado.

— Mañana nos tenemos que levantar muy temprano si queremos ir a ver los animales del parque –dice su tío, que también está cansado de conducir.

Después de cenar, se van todos a la cama, pero Dani no puede dormir. Hay muchos ruidos extraños. "¿Qué pasa si un elefante rompe la valla del parque? ¿Hay mambas negras aquí?". Dani tiene miedo. Cierra los ojos. Los ruidos ya están lejos, muy lejos, lej..., le..., l... Dani se duerme.

Al día siguiente, la niebla de la mañana cubre la sabana. En el horizonte sale el sol poco a poco pintando el cielo de rojo y naranja. Los tres suben a un todoterreno. Humbu conduce el vehículo.

— ¡Qué frío hace!
–dice Dani.

Pronto llegan a una pequeña casa, junto a un estanque, en el centro de la reserva. Todos bajan. Dani con la emoción ya no tiene frío.

- ¡Aquí no hay nada, tío! –dice Dani mirando los tres o cuatro pájaros que cantan en un árbol.

- ¡Ten paciencia! –contesta su tío.

De repente, un elefante enorme va hacia el estanque. Con paso lento acerca su trompa, una larga nariz, al agua, y empieza a beber. A continuación, viene otro elefante más pequeño, y otro más, ... ¡y otro! El último es un bebé elefante, que también bebe con el resto de la manada y juega en el agua.

– ¡Ése se llama Maweni! –dice Humbu en el oído de Dani–. Tiene sólo dos meses. Ya sabes que los elefantes tienen muy buena memoria, ¿no?

– ¿Y aquello rojo qué es? –dice Dani mirando unos objetos metálicos en la orilla del estanque.

– ¡Son casquillos de bala! –dice Humbu–. ¡Los cazadores están aquí otra vez!

– ¿Cazadores? –pregunta Dani.

– Sí. Vienen a la reserva natural para matar elefantes y sacarles los colmillos de marfil. Ya sabes, sus grandes dientes. Después los venden a los traficantes de Europa y Estados Unidos –contesta su

tío–. Con el marfil hay gente que hace collares y figuras que cuestan mucho dinero. Los cazadores saben que muchos elefantes vienen a este estanque a beber, y los matan por la noche.

De repente, oyen un sonido terrible. Los elefantes se mueven nerviosos. Humbu y el tío Javier miran con sus prismáticos.

– ¿Veis algo? –dice Dani nervioso.

Ellos no contestan. Están muy preocupados. En silencio, su tío le pasa sus binoculares. Dani mira hacia la manada. Todos los elefantes están nerviosos alrededor de otro elefante que está muy quieto en la orilla. El agua del estanque, normalmente verde, tiene ahora un color rojo oscuro. Pronto Dani descubre que el elefante está muerto y no tiene los colmillos.

– Hemos de tener los ojos muy abiertos –dice Humbu con una gran tristeza.

Capítulo cuarto.
Dani tiene un plan

En el viaje de vuelta al campamento los tres están en silencio. Después de comer, el tío de Dani informa a los guardas del triste descubrimiento en el estanque. Humbu y Dani van a visitar la clínica veterinaria del campamento. Detrás de la clínica hay jaulas con animales heridos.

– Ésta es Fara –dice Humbu, señalando con el dedo a una jirafa–. Aunque es muy alta, tiene sólo siete años y ocho meses. Es muy lista y cariñosa. Está muy contenta porque muy pronto va a regresar a su casa.

En otra jaula está Niru, una avestruz.

– A veces –dice Humbu– en los estómagos de los avestruces es posible encontrar bolsas de plástico, carretes de fotos, latas de refresco,... A la pobre Niru le duele la barriga. ¿Quién sabe qué tiene ella en el estómago? Y estas cebras son Patri y Kogie. Son muy bonitas, ¿verdad?

Dani mira las dos cebras con curiosidad. ¿Las cebras son blancas con rayas negras o son negras con rayas blancas? No sabe, pero le parecen preciosas. De repente, Dani oye un ruido horrible.

– ¡Qué susto! –dice Dani, mirando los colmillos blancos y los ojos muy verdes de un león.

– Se llama Granto –dice Humbu–. Es muy tranquilo, pero creo que hoy tiene un poco de hambre. ¡Ten cuidado!

En la última jaula hay un elefante comiendo tranquilamente.

– Éste es Joel, el padre de Maweni –dice Humbu–. Tiene una herida en la pata. Como ves, no es la primera vez que los cazadores quieren cazar los elefantes del parque. Tenemos que hacer algo pronto o todos los elefantes pueden desaparecer.

treinta y tres | **33**

– ¡Tengo un plan! –dice Dani, que piensa que una reserva sin elefantes es como una cebra sin rayas.

Esa noche, después de cenar, Humbu, Dani y su tío hablan alrededor de la hoguera. Dani explica su plan para salvar a los animales.

– Podemos pasar la noche cerca del estanque, en un mirador, y esperar a los cazadores. Necesitamos unos sacos de dormir, unas linternas y...

– ... También insecticida contra los mosquitos –dice Humbu.

– ¡Y mucha paciencia! –dice su tío–. No sé si es una buena idea, Dani. La sabana está llena de animales y aquí no hay una valla eléctrica para protegernos. Es muy peligroso.

– Yo creo que es bueno intentarlo –dice Humbu–. Los elefantes del parque mueren uno tras otro.

– De acuerdo –dice el tío de Dani–. Pasad vosotros esta noche aquí y yo voy a la clínica. Si no veis nada extraño, mañana dejamos las investigaciones nocturnas a los guardas del parque, ¿vale?

– ¡Vale! ¡Voy a por las linternas! –dice Dani.

– Y yo a por el rifle –dice Humbu–.

Cuando Humbu y Dani llegan al mirador, es casi medianoche. La luz de la luna se refleja en el estanque. Sólo oyen insectos y el agua en la orilla. También oyen unos extraños sonidos en el estanque.

– ¿Qué es eso? –pregunta Dani.

– Es un hipopótamo –contesta Humbu–. Aunque sólo come plantas, es uno de los animales más peligrosos de la sabana. ¿Sabes por qué los hipopótamos viven de día en el agua y de noche salen del lago o el río?

Dani dice que no con la cabeza y escucha atentamente a Humbu.

– Una leyenda de mi pueblo dice que a los hipopótamos les gusta mucho el agua pero los dioses de la selva no quieren tenerlos en los ríos ni en los lagos.

– ¿Por qué no podemos vivir en el río? –preguntan los hipopótamos.

– Porque os gusta mucho comer y con vuestra gran boca vais a comer todos los peces del río y, entonces, los pájaros no van a tener comida –contestan los dioses.

– ¡Por favor, por favor! Dejadnos vivir en el río y nosotros prometemos no comernos ningún pez –contestan los hipopótamos.

Los hipopótamos están muy tristes.

Esa misma noche, el más pequeño, que es un hipopótamo muy listo, tiene una solución perfecta. Al día siguiente, va a hablar con los dioses de la selva.

– Tengo una idea –dice el pequeño hipopótamo mientras los dioses le escuchan con atención–. Si nos dejáis jugar en el agua de día, prometemos salir del agua por la noche para comer plantas e ir al lavabo entre los pequeños árboles. Con esta solución todos los animales del bosque pueden saber si cumplimos nuestra promesa.

Los dioses de la selva piensan que es una excelente idea, y desde entonces los pájaros y otros animales ven cada día que los hipopótamos cumplen su promesa. Los hipopótamos son felices también porque pueden jugar en el río toda la vida.

– Y así acaba la historia –dice Humbu–. ¿Qué estás pensando?

– Pues... que yo también quiero ir al lavabo –dice **Dani con una sonrisa.**

Capítulo quinto.
Mañana de sorpresas

Cuando ya es de día, **Humbu prepara un desayuno riquísimo.** Hay zumo de naranja, cereales, yogur y manzanas. Unos monos miran las manzanas desde un árbol cercano, pero Dani las esconde.

> — **En un parque natural la gente no puede dar de comer a los animales** –recuerda Humbu.

En la orilla opuesta del estanque los elefantes juegan con el agua. Maweni utiliza su larga nariz para ducharse y después cubre su cuerpo con arena.

> — Es para protegerse del sol, como cuando vas a la playa y tu madre te pone crema –dice Humbu.

Mientras Dani y Humbu miran a Maweni

jugar en el agua, un coche rojo para en la carretera, muy cerca del estanque. Dos personas salen del coche.

– ¡Eh, vosotros! ¡Entrad en el coche! ¡Está prohibido caminar por la reserva! ¡Es muy peligroso! –dice Humbu.

Los dos desconocidos no pueden oírle ni verle. Están demasiado lejos. Uno de ellos tiene un rifle y mira a los elefantes.

– ¡Son los cazadores! –dice Dani–. ¡Hay que hacer algo!

Humbu saca su rifle y dispara al aire. ¡¡¡Bum!!! ¡¡¡Bum!!! Los elefantes corren. Los dos desconocidos vuelven al coche.

– ¡A por ellos! –dice Dani.

Dani y Humbu suben a su todoterreno para perseguir a los cazadores. Los cazadores están muy lejos. El coche rojo es demasiado rápido y poco a poco desaparece en la distancia.

– ¡¡¡Se escapan!!! –grita Dani.

Humbu habla por la radio del todoterreno.

– ¡Atención! ¡Atención! –dice por el aparato–. Un coche rojo va hacia la salida de la reserva de Skukuza. En el vehículo van dos cazadores y están armados.

– ¡Genial! ¡No van a escapar! –dice Dani.

Humbu está muy serio y no muy contento.

– ¿Qué te pasa Humbu? –dice Dani.

– Ese coche es muy rápido, Dani –contesta Humbu–. Quizás ya es demasiado tarde.

Capítulo sexto.
Buenas y malas noticias

Cuando vuelven al campamento, el tío Javier les espera con una sonrisa.

- ¡**Tengo muy buenas noticias!** –dice su tío–. Los guardas de Skukuza tienen a los cazadores: al Dr. Thwahla y a Van der Merwe.

- ¿El doctor qué? –pregunta Dani.

- El Dr. Thwahla –repite su tío–. No es la primera vez que quiere cazar elefantes en el parque. ¡Esta vez cazamos a los cazadores!

- En realidad –dice Humbu–, el problema principal no son los cazadores. **El principal problema son sus jefes, los traficantes de marfil.** Ellos transportan los colmillos de elefante de África a Europa. Los traficantes ganan mucho dinero.

Los tres están muy contentos.

Esa noche los tres amigos deciden hacer una barbacoa en el campamento. El tío de Dani prepara la hoguera y Dani le ayuda con los platos y las bebidas. Humbu cocina salchichas. Dani ve una cicatriz en la mano derecha de Humbu.

– ¡Vaya! ¿Qué es eso? ¿La herida de un león? –pregunta Dani.

– Es una vieja quemadura –contesta Humbu–. **¡El fuego es más peligroso que todos los animales de la selva juntos!**

Las salchichas ya están listas y todos tienen mucha hambre. Mientras comen en silencio con la luz del fuego y las estrellas, sólo oyen el canto de algunos insectos.

De repente, suena un teléfono móvil. Humbu contesta y empieza a hablar en una lengua que Dani no entiende. Humbu está muy preocupado. Al colgar el teléfono, habla con el tío de Dani en esa misma lengua. Están muy nerviosos.

– ¿Qué pasa? –pregunta Dani.

– Tengo buenas y malas noticias –dice el tío de Dani–. Las malas noticias son... que tenemos que irnos del campamento. La Policía sabe dónde están los traficantes de marfil que trabajan con el Dr. Thwahla y Van der Merwe. La Policía quiere nuestra ayuda.

– ¡Pues vaya! ¿Y las buenas noticias? –pregunta Dani, un poco molesto porque no le gusta mucho la idea de irse del campamento.

– Las buenas noticias son... ¡los traficantes de marfil están en Maputo! ¡Nos vamos a la playa!

– ¡A la playa! ¡Qué bien! –contesta.

Dani recuerda oír el nombre de Maputo en algún sitio, pero no sabe muy bien dónde.

– Maputo es la ciudad más grande de Mozambique. Está a unas cinco horas de coche de aquí. ¡Vas a ver qué bonito! –dice su tío–. Prepara tu bolsa, Dani. ¡Mañana salimos!

Capítulo séptimo.
Objetivo Maputo

Al día siguiente se levantan muy temprano. Es todavía de noche cuando suben al todoterreno. Dani se despide de todos los animales de la clínica.

— ¡Hasta la vista, Patri! ¡Cuídate, Niru! ¡Adiós, Kogie! ¡Hasta pronto, Granto! —grita Dani desde la ventanilla.

También el pequeño Maweni quiere despedirle con la trompa, su pequeña gran nariz, cuando pasan por el estanque. Dani está muy triste porque sabe que quizás no va a ver a sus amigos nunca más.

— Tranquilo —le dice Humbu, cuando ve una lágrima en la mejilla de Dani—. Recuerda que los elefantes tienen muy buena memoria.

Dani piensa en todos los amigos que deja atrás y sigue sin hablar un buen tiempo.

Muy pronto ven en la distancia unas banderas. La frontera está cerca.

Cuando llegan a Maputo, **Humbu, Dani y su tío se alojan en el Polana**. Es un **hotel**. Es un edificio colonial blanco, muy bonito, rodeado de palmeras muy altas al lado del **mar**. Tiene una piscina enorme. Hoy hace muchísimo calor y Dani y sus amigos se bañan al llegar.

Después, **los tres van a la comisaría central de Policía**. Allí espera el inspector Tomé de Andrade. El inspector les da la bienvenida en portugués y en español. En la pared de su despacho hay un retrato suyo con una gran sonrisa. **Hoy el inspector de Andrade no sonríe.**

– Sr. de Andrade, pienso que los traficantes de marfil utilizan el puerto de Maputo para enviar los colmillos de elefante a Europa y Norteamérica. ¿Es así? –pregunta Humbu.

– Por favor, llamadme Mito. Correcto, amigos. Los traficantes envían el marfil en contenedores a Europa. Con frecuencia encontramos cajas como éstas en el interior de los barcos. Los colmillos tienen un número de serie que es idéntico al número de serie de elefantes desaparecidos en el Parque Nacional de Kruger –dice el inspector de Andrade en un perfecto español.

Dani mira una de las cajas con cuidado. Empieza a contar colmillos: uno, dos, tres, cuatro, cinco,… ¡Cuántos elefantes muertos! ¡Hay que hacer algo pronto!

– El Dr. Thawhla y Van der Merwe están muy tristes y ahora colaboran con la Policía. Tenemos una foto del traficante de marfil y sabemos que ahora está en Maputo. Él prepara un nuevo cargamento de colmillos –el inspector de Andrade enseña una foto del traficante.

Tiene una barba muy negra y una pequeña cicatriz en la frente. En la foto el traficante lleva unas gafas de sol. También tiene un diente de oro.

– ¡Tengo una idea! –dice Dani–. ¿Por qué no le buscamos en el puerto por la noche?

– Es una buena idea, Dani. Hay que encontrarle pronto o los elefantes pueden desaparecer de toda la región.

Su tío y Humbu empiezan a transportar las cajas con marfil en el todoterreno. Quieren devolver los colmillos a la reserva y enterrarlos cerca del estanque. Dani quiere ayudar, pero las cajas pesan demasiado. Cansados, vuelven al hotel.

Al día siguiente nuestros amigos deciden ir al puerto de Maputo a buscar al hombre de la cicatriz en la frente. Entre tantos barcos no es fácil ver una cicatriz.

– ¡Es imposible! –dice el tío de Dani.

Después de un par de horas, los tres están muy cansados por el calor y deciden ir a la playa. Allí los tres se bañan. Una bandera verde indica que es seguro bañarse. Después, en la arena, Dani juega con los prismáticos de Humbu.

- ¿Qué es aquello de allí? –pregunta Dani.

- Es la isla de Inhaca –contesta Humbu–. Está a unos cuarenta kilómetros de Maputo. Esta tarde podemos visitarla, si queréis.

Mientras Humbu habla, Dani mira con los prismáticos. De repente, **Dani ve a unos hombres con unas cajas**. Cuando mira más atentamente, ve primero a unos chicos jóvenes. Después descubre una barba negra y unas gafas de sol. Cuando mira la frente de uno de ellos,... ies la cicatriz del traficante de marfil!, iel jefe del Dr. Thwahla y Van der Merwe!

- ¡Llamad al inspector de Andrade! –grita Dani–. ¡¡El traficante!! ¡¡El traficante!!

Actividades:
con la lectura (II)

Después de atrapar a los cazadores, Dani y sus amigos van a Maputo a capturar al principal traficante de marfil. ¡El fin de la historia está cerca! Ahora vamos a saber si tienes buena memoria, como los elefantes.

1. ¿Puedes completar las siguientes frases?

El Parque Nacional de Kruger está:

☐ en el norte de Sudáfrica.

☐ en el sur de Sudáfrica.

☐ en el oeste de Sudáfrica.

En el campamento no hay

☐ una valla eléctrica.

☐ un mercado.

☐ un aeropuerto.

Maweni es el nombre de

☐ un guarda del campamento.

☐ un elefante.

☐ un cazador.

🐾 Granto es el nombre de

☐ una jirafa.

☐ una cebra.

☐ un león.

🐾 Según la leyenda, los hipopótamos prometen

☐ comer sólo peces del río.

☐ comer sólo plantas.

☐ vivir en el río día y noche.

2. En una reserva hay muchos animales. Aquí tienes a dos. ¿Sabes cuáles son? Si quieres descubrir el primero, sólo tienes que unir con una línea, y en orden, los puntos de los números impares; para el segundo, conecta los puntos de los números pares.

1 3
63● ●● 5
65
9   ●7

61●
●11
59●
57● ●13
55●
●15
53●
51 ●●41 29 27●
49●● ●43
47●   ●45   ●17
39● ●31
37   25●●19

35●●33   23●●21

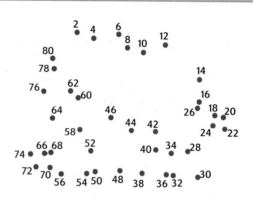

3. ¿Sabes completar las siguientes frases?

🐾 En un parque natural

☐ no se puede dar de comer a los animales.

☐ se puede salir del coche y caminar sin problemas.

☐ está prohibido desayunar.

🐾 ¿Quién pasa la noche en el mirador?

☐ Dani solo.

☐ Dani y Humbu.

☐ Dani, su tío y Humbu.

🐾 Humbu tiene en la mano derecha

☐ una herida.

☐ una antigua quemadura.

☐ una picadura de mosquito.

🐾 El inspector Tomé de Andrade se llama también

☐ Manolo.

☐ Maputo.

☐ Mito.

🐾 El jefe de los cazadores tiene

☐ el pelo rubio.

☐ una cicatriz en la frente.

☐ un todoterreno rojo.

4. Ahora conoces el retrato del traficante de marfil. ¿Cómo imaginas al Dr. Thawhla y Van der Merwe? Dibuja sus caras, sus ropas,...

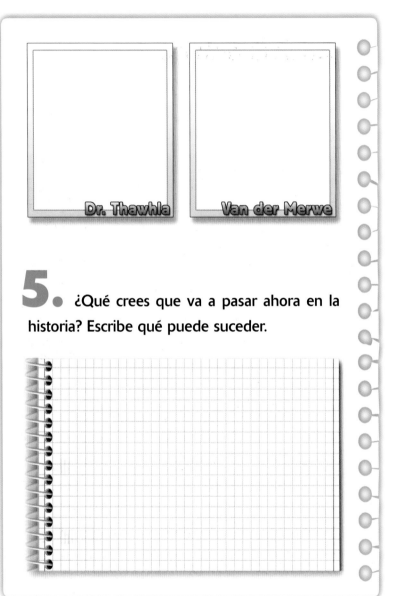

Dr. Thawhla

Van der Merwe

5. ¿Qué crees que va a pasar ahora en la historia? Escribe qué puede suceder.

Capítulo octavo.
El final de las vacaciones

Una semana más tarde, y después de pasar unos días en la playa para celebrar la detención del traficante y de despedirse del inspector, **Humbu, Dani y su tío salen de Maputo en dirección al aeropuerto de Johannesburgo.** Son muchas horas de coche. Dani duerme todo el camino. Cruzar la frontera no es fácil. Hay muchos coches.

– **No sé si vamos a llegar a tiempo para tomar el avión** –dice el tío de Dani en voz baja a Humbu para no despertar a Dani.

Al final todo sale bien. Cuando Dani se despierta, ya ve las señales de la autopista del aeropuerto.

En la terminal no tienen mucho tiempo para decirse adiós. El avión sale en pocos minutos. Ni a Humbu ni a su tío les gustan las despedidas.

– **Hasta otra, Dani.** Escríbenos pronto una postal y cuéntanos cómo van las cosas en casa, ¿eh? **¡Muchos besos para papá y mamá!** –dice su tío.

Dani sabe ahora que algún día va a volver y promete escribir muy a menudo.

– **Te vamos a echar mucho de menos, Dani**, ¡y también todos los animales de la clínica! –dice Humbu, dándole un abrazo–. Por cierto, este paquete es para ti.

¡Corre, que vas a perder el avión!

Unos minutos más tarde, unas escaleras mecánicas llevan a Dani a la puerta de embarque. Allí decide abrir el **regalo**, ¡Un pequeño elefante de madera! Mientras toca la figura, Dani promete no olvidar estas dos semanas en África. No sólo los elefantes tienen buena memoria.

Actividades:
después de la lectura

1.

Un buen explorador siempre descubre la salida para cualquier situación. Aquí tienes un laberinto. ¿Vas a saber cómo llegar a la salida? Es muy fácil: tienes que seguir el orden alfabético.

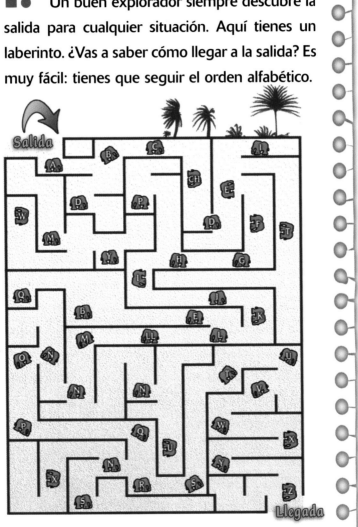

2. África es un continente de colores. ¿Puedes descubrir qué seis colores se repiten dos veces?

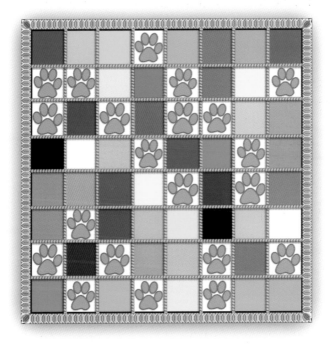

- Solución: ....
  ....

3. Y para finalizar, una última actividad. ¿Recuerdas quién dice estas frases?

"¡Cuidado con las mambas!" ➡ ....

"¡Pero..., bueno! ¡Estás enorme! ⬅ ....

"¡Arrrrrgh! ¡Qué asco!" ➡ ....

"Por favor, llamadme Mito." ⬅ ....

"¡Tengo un plan!" ➡ ....

S de safari.
Solucionario

Actividades:
antes de la lectura

1.

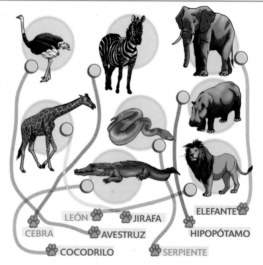

LEÓN 🐾 🐾 JIRAFA   ELEFANTE🐾
CEBRA 🐾 🐾 AVESTRUZ   🐾 HIPOPÓTAMO
🐾 COCODRILO   🐾 SERPIENTE

2.

C	E	N	D	E	F	G	H	T	K	D	L	T	N	L
O	J	I	R	A	B	I	D	E	Y	E	Z	M	A	B
C	I	D	E	F	G	L	E	O	N	S	M	L	N	P
O	R	A	P	I	R	O	U	L	X	I	Y	M	Z	A
P	A	E	D	T	X	F	K	I	W	E	P	O	V	D
S	F	T	W	Q	X	Z	B	R	H	R	M	E	A	R
B	A	N	U	S	H	R	S	D	T	T	L	L	F	G
J	E	E	O	G	B	I	F	O	C	O	Q	E	S	X
H	I	I	V	U	V	W	A	C	F	A	M	F	P	O
R	S	P	L	A	H	I	P	O	P	O	T	A	M	O
Ñ	T	R	S	Q	O	U	T	C	U	W	O	N	E	S
A	V	E	S	T	R	U	Z	G	Y	P	E	T	O	L
K	J	S	X	N	T	E	L	O	A	R	B	E	C	Z

3.

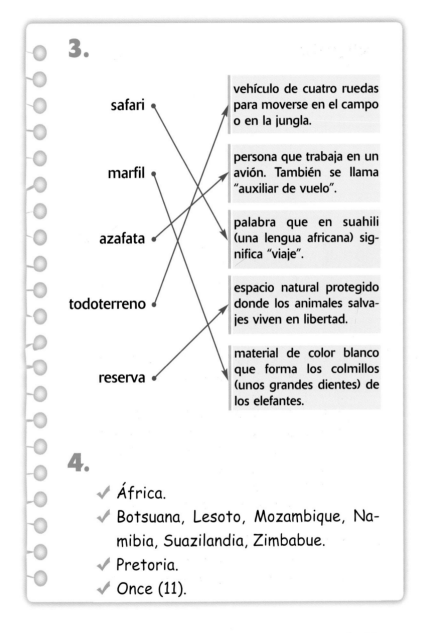

safari • → vehículo de cuatro ruedas para moverse en el campo o en la jungla.

marfil • → persona que trabaja en un avión. También se llama "auxiliar de vuelo".

azafata • → palabra que en suahili (una lengua africana) significa "viaje".

todoterreno • → espacio natural protegido donde los animales salvajes viven en libertad.

reserva • → material de color blanco que forma los colmillos (unos grandes dientes) de los elefantes.

4.

✓ África.

✓ Botsuana, Lesoto, Mozambique, Namibia, Suazilandia, Zimbabue.

✓ Pretoria.

✓ Once (11).

Actividades:
con la lectura (I)

1.

- Dani vive normalmente en Barcelona, pero este verano *va a pasar dos semanas en Sudáfrica, en casa de su su tío.*

- Su tío se llama *Javier.*

- Araceli es *azafata. Es muy guapa. Es rubia y tiene el pelo largo y liso. Es bastante alta. Lleva un uniforme azul y negro muy elegante.*

- Su tío trabaja como *veterinario.*

2.

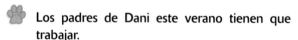

Los padres de Dani este verano tienen que trabajar.

El tío de Dani trabaja en una reserva natural.

Araceli es una azafata de Iberia.

Cuando en España es verano, en Sudáfrica es invierno.

A Dani no le gustan las serpientes.

3.

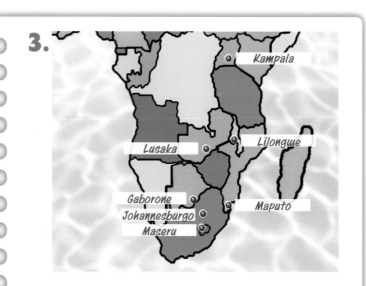

Kampala
Lusaka
Lilongwe
Gaborone
Johannesburgo
Maseru
Maputo

Actividades:
con la lectura (II)

1.

🐾 El Parque Nacional de Kruger está

✓ en el norte de Sudáfrica.

🐾 En el campamento no hay

✓ un aeropuerto.

🐾 Maweni es el nombre de

✓ un elefante.

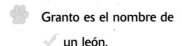 Granto es el nombre de

✓ un león.

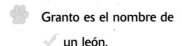 Según la leyenda, los hipopótamos prometen

✓ comer sólo plantas.

2.

— Jirafa y elefante.

3.

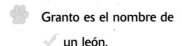 En un parque natural

✓ no se puede dar de comer a los animales.

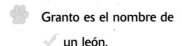 ¿Quién pasa la noche en el mirador?

✓ Dani y Humbu.

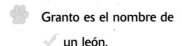 Humbu tiene en la mano derecha

✓ una antigua quemadura.

El inspector Tomé de Andrade se llama también

✓ Mito.

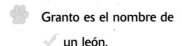 El jefe de los cazadores tiene

✓ una cicatriz en la frente.

Actividades:
después de la lectura

1.

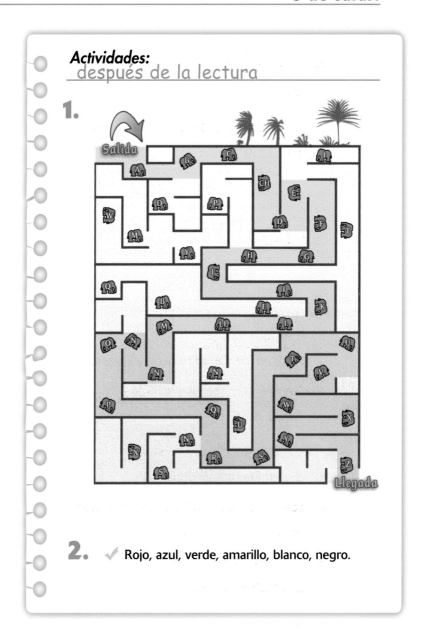

2. ✓ Rojo, azul, verde, amarillo, blanco, negro.

3.

Otros títulos disponibles